Dora salva A LAS SIRENAS

adaptado por Michael Teitelbaum
basado en el guión original de Valerie Walsh
ilustrado por Artful Doodlers

SIMON & SCHUSTER LIBROS PARA NIÑOS/NICK JR
Nueva York Londres Toronto Sydney

Basado en la serie de televisión *Dora la exploradora*™
que se presenta en Nick Jr.®

SIMON & SCHUSTER LIBROS PARA NIÑOS
Publicado bajo el sello editorial de la División Infantil de Simon & Schuster
1230 Avenue of the Americas, New York, New York 10020

Publicado originalmente en inglés en 2007 con el título *Dora Saves Mermaid Kingdom!* por Simon Spotlight, bajo el sello editorial de la División Infantil de Simon & Schuster.
Traducción de Argentina Palacios Ziegler
Fabricado en los Estados Unidos de América
2 4 6 8 10 9 7 5 3
ISBN-13: 978-1-4169-4725-7
ISBN-10: 1-4169-4725-6

Hi! Soy Dora y éste es mi mejor amigo, Boots. Nos encanta la playa. Nos encanta el océano, la arena tibia, el brillante cielo azul y el luminoso sol. ¡Hoy es el Día de las Playas Limpias! ¡Hoy nos aseguramos de que la playa esté siempre hermosa y limpia!

Vamos a recoger toda la basura y echarla en la bolsa. ¿Ves basura en la playa? *Yes!* ¡Ahí hay un envase de jugo de frutas! ¡Y un envoltorio de comida!

What else? ¿Qué más ves? Si ves más basura, di "*Garbage!*"

Look! Hay una almeja grande en la playa. Para decirle a la almeja que se abra, di *"Open!"*

¡Muy bien! Esta almeja tiene un cuento especial que contarnos.

El cuento de la almeja es sobre el Reino de las Sirenas.

Había una vez un pulpo malvado que desparramó basura por todo el Reino de las Sirenas. Por suerte, una sirena llamada Mariana encontró una corona mágica con la cual podía desear que desapareciera toda la basura. ¡Pero una ola se llevó la corona mágica de Mariana y ahora no puede detener al pulpo malvado!

Tenemos que ayudar a Mariana y al Reino de las Sirenas encontrando la corona mágica. ¿Dónde estará?

Si ves la corona, di *"Crown!"* ¿Ves la corona mágica? ¡Ahí está!

¡Ahora podemos llevarle la corona mágica a Mariana! ¡Vamos a encontrar el Reino de las Sirenas! ¿A quién le pedimos ayuda cuando no sabemos dónde ir?

Yes! ¡A Map! ¡Di "Map!"

Map dice que tenemos que cruzar el Puente de las Conchas y después atravesar la Isla de los Piratas para llegar al Mar Bobo. Allí encontraremos el Reino de las Sirenas. *Come on!* ¡Vámonos!

¡Llegamos al Puente de las Conchas, pero no podemos cruzarlo! Ese pulpo malvado ha cubierto el puente con basura.

Vamos a buscar en Backpack algo para limpiar el puente. ¡Di "Backpack!"

¿Hay algo en Backpack que podemos usar para limpiar el puente?

Yes! ¡Una aspiradora!

Ahora que limpiamos el Puente de las Conchas, podemos cruzar. Vamos a contar las conchas al cruzarlo. *One, two, three, four, five, six.*

Una, dos, tres, cuatro, cinco, seis.

Thanks! Gracias por ayudarnos a cruzar el puente.

Llegamos a la Isla de los Piratas, pero los cocoteros nos cierran el paso.

Los Pirate Piggies nos enseñan a bailar la Conga de los Cocos para pasar al otro lado de los cocoteros. ¿Estamos listos?

¡Menéate, menéate, menéate!

Ahora nos queda atravesar el Mar Bobo. Fíjate en todos estos animales del Mar Bobo. ¿Quién nos puede ayudar a nadar entre los animales y atravesar el Mar Bobo? ¡Claro, los delfines!

Mi primo Diego nos puede ayudar a llamar a los delfines.

Para ayudar a Diego a llamar a los delfines, tenemos que decir "¡clic, clic!"

¡Llegamos al Reino de las Sirenas! Vamos a devolverle a Mariana su corona mágica para que pueda limpiar el Reino de las Sirenas.

¡Ay, no! ¡Llegamos demasiado tarde! El pulpo le echó una red bien grande a Mariana. ¡Ahora está atrapada!

¡Aaahhh! ¡Mariana me dio la corona justo a tiempo! ¡Me la pongo y me convierto en sirena! *Fantastic!*

La corona mágica me concede un deseo. ¿Qué debemos desear?

Vamos a desear que el Reino de las Sirenas quede limpio. ¿Estamos listos? ¡Deseo limpiar el Reino de las Sirenas!

¡Todavía queda basura en el reino! ¡Vamos a necesitar la ayuda de nuestros amigos del océano!

¡Di “Hora de limpiar!”

Excellent! El Reino de las Sirenas está quedando limpio.

Ahora tenemos que rescatar a Mariana. *Let's go!*
Vamos a sacar de la red a Mariana. *Great!* ¡Ya está libre!

Look! La red le cayó al pulpo y él se cayó en la basura.
¡El pulpo promete echar toda la basura en el vertedero de ahora en adelante, en vez de en el Reino de las Sirenas!
¡Viva! ¡Lo hicimos! *We did it!*

Mariana necesita su corona, pero me dio un collar mágico de sirena para que pueda visitarla cuando quiera.

Sé que seremos amigas por siempre, igual que tú y que yo. ¡Gracias por ayudarme a salvar a Mariana y al Reino de las Sirenas! No lo hubiera podido hacer sin ti.